PACIFIC
EXPRESS

ANNE BERNARD-LENOIR

PACIFIC EXPRESS

LA DISPARITION DE TI-KHUAN

la courte échelle

Rivière Bow, juin 1884

Le corps dérivait au gré du courant depuis plusieurs heures lorsqu'il fut agrippé par les roseaux bordant la berge de la rivière Bow, qui tenait justement son nom de ces plantes aquatiques aux tiges droites que les Amérindiens utilisaient pour fabriquer des arcs. On disait que les eaux glacées provenant du glacier Bow, au cœur des montagnes Rocheuses, finissaient dans le lac Winnipeg, des centaines de kilomètres plus loin.

Surgi des tourbillons au détour d'un gros rocher, le cadavre aux pieds nus flottait à la surface de l'eau, un bras dans les joncs. La toile brune du pantalon et du paletot de l'homme mort ondulait avec le courant. Ses yeux étaient fermés, et son visage, dénué d'expression. Sous l'effet de l'eau froide, sa peau s'était violacée. L'homme, de race chinoise, n'était plus jeune, comme en témoignaient la plante usée de ses pieds, et les nombreuses rides sur sa figure et ses mains.

1

Un drôle d'ouvrier

Mon père m'avait prédit qu'un jour je possé-
derais un cheval, et il avait eu raison ! Cela
faisait bientôt trois mois que Wednesday,
une bête jeune et fougueuse, dont la robe
blanche ressemblait à la lune, était mon
compagnon. L'ancienne monture de Simons
retrouvée en train de brouter dans la prairie
m'avait été donnée par le juge Morgan en
récompense de mes services dans l'affaire
du tunnel*. Ti-Khuan, lui, avait hérité du
cheval de Douglas, une magnifique jument
brun cacao baptisée Kiaokéli, de *qiao kè
lì*, soit «chocolat» en chinois, la langue
maternelle de mon ami. Le juge nous avait
aussi offert à chacun une pépite d'or grosse
comme le croc d'un louveteau, qu'il accepta
de garder pour nous, dans un coffre.

---

* Lire *Terreur sur la ligne d'acier* (tome 1).

J'avais nommé mon cheval Wednesday, car c'était un mercredi qu'on m'en avait fait don. Ce jour marquait le commencement d'une nouvelle vie pour nous deux. Wednesday avait appartenu à un sale individu, que j'étais bien décidé à lui faire oublier. Albert O'Brien, le collègue de mon père, m'avait appris à l'amadouer et à le monter malgré ma petite taille.

Wednesday m'avait redonné confiance en moi. Sa présence et le regard doux émanant de ses beaux yeux noirs me rassuraient. Même s'il n'obéissait pas toujours à l'appel de son nouveau nom – j'ignorais celui dont Simons l'avait affublé –, il s'agissait d'un bon cheval, vaillant et affectueux. C'était un peu grâce à lui que j'avais repris mon travail sur le chantier de construction de la voie ferrée…

Depuis une semaine, j'assistais l'équipe responsable d'aplanir une colline dans la vallée de la rivière Bow. Une section de la voie ferrée devait être déplacée en raison des fortes pluies qui avaient gonflé les eaux de la rivière, provoquant une inondation et endommageant les rails.

À l'aide de pelles, de pioches et de pics, les ouvriers creusaient le sol. Lorsque leurs outils heurtaient une roche ou des couches souterraines plus dures, on procédait au dynamitage. La terre et les cailloux provenant de la colline devaient être déplacés plus loin, dans un lieu où ils ne gêneraient pas les poseurs de rails. Mon travail consistait à ramasser ces débris avec une pelle et à les charger dans le bac en bois que j'avais attelé à Wednesday. Je menais ensuite mon cheval jusqu'au fossé convenu et j'y déversais mon chargement.

L'entreprise était harassante et monotone, mais elle avait l'avantage d'être bien payée – un dollar et vingt-cinq sous par jour. Du haut de mes onze ans, je ne pouvais espérer meilleur travail… Et, selon les rumeurs, je n'allais pas en manquer !

Certains affirmaient que la voie ferrée serait bientôt complétée et qu'on se souviendrait de 1884 comme de l'année du parachèvement des travaux de construction, mais la ligne d'acier était encore loin de sa destination finale… Elle traversait peut-être déjà la région des plaines, des lacs et des prairies, à l'est, et la région du Pacifique depuis Port Moody, à l'ouest, mais elle n'avait pas fini de franchir les Rocheuses! En cet été 1884, la construction de la voie ferrée avait pris du retard, et un travail colossal restait à accomplir pour son passage au col du Cheval-qui-Rue.

Ma pépite d'or était en sécurité chez le juge, et je ne souhaitais pas m'en départir ni cesser de travailler. J'avais une idée précise concernant ce trésor : lorsque j'aurais accumulé une certaine somme d'argent, je le vendrais afin d'augmenter mes économies et je retournerais à Vancouver, sur le rivage du Pacifique, pour aller chercher Sarah, ma petite sœur, ma seule famille.

Nous avions habité Vancouver jusqu'à la mort de ma mère, décédée du scorbut l'automne précédent. Après cette tragédie, mon père plaça Sarah dans un orphelinat, puis il m'emmena avec lui au cœur des Rocheuses. La compagnie Canadian Pacific Railway, responsable de la construction du premier chemin de fer transcontinental du Canada, lui avait offert un poste d'arpenteur dans les montagnes, et j'étais devenu porteur pour œuvrer à ses côtés. Maudit fût ce poste, qui lui coûta la vie lors d'un terrible accident…

Au moment de quitter Sarah, alors âgée de trois ans, mon père lui avait promis de revenir la chercher en des jours plus heureux. Cette promesse, qu'il ne pourrait jamais tenir, je la faisais désormais mienne… Je devais profiter du travail disponible sur les chantiers pour gagner de l'argent afin que Sarah et moi pussions nous installer et vivre ensemble plus tard, lorsque je l'aurais retrouvée. Son merveilleux sourire, aussi lumineux que le soleil, hantait ma mémoire… La rejoindre était mon seul but et mon unique espoir. Je me sentais déterminé et encouragé par les signes que le destin venait de m'envoyer, lui qui m'avait choyé dans mon malheur en m'offrant d'inestimables richesses : un cheval formidable et une pépite d'or, sans oublier la magnifique paire de bottes dont John Pickham m'avait fait présent avant de disparaître dans la nature…

Il était presque seize heures, et le soleil déclinait dans le ciel sans nuage. Ma journée de travail s'achevait. J'étais en train de m'occuper du déchargement des débris que contenait le bac tiré par Wednesday lorsqu'un ouvrier cria :

— Il n'y a pas assez des Chinois ! On engage des canassons pour faire notre travail, maintenant !

Je me retournai aussitôt et vis un cheval solitaire qui remuait son museau dans la terre au pied de la colline dévastée, comme s'il participait à une mystérieuse besogne. Observant cet ouvrier insolite, les travailleurs se mirent à rire.

Plutôt que de me réjouir, le spectacle m'inquiéta au plus haut point, car j'avais reconnu la crinière noire et soyeuse et la robe brun chocolat : il s'agissait de la jument de mon ami Ti-Khuan. Crottin de citrouille ! Kiaokéli étant la plus sociable des bêtes — et la plus fidèle aussi —, il était tout à fait anormal qu'elle fût sur le chantier seule et sans son maître !

Ti-Khuan Wu était mon meilleur ami. Il avait quatorze ans, et il travaillait en tant que porteur pour Will MacFarley, un photographe réputé qui parcourait la région afin de réaliser des clichés de l'avancement des travaux de construction de la voie ferrée.

2

L'événement

Ti-Khuan était orphelin et sans famille. Son oncle et lui avaient quitté la Chine en 1882 et traversé l'océan Pacifique en direction de la Colombie-Britannique pour œuvrer à la construction du Canadian Pacific. Comme à des centaines d'immigrants chinois, on avait promis à l'oncle de Ti-Khuan un travail rémunéré et la possibilité d'amener plus tard en terre canadienne sa femme et ses deux jeunes enfants. Mais il avait été tué au cours d'un dynamitage, et il n'avait pas eu le temps de vérifier si le gouvernement tiendrait sa promesse...

J'avais vu Ti-Khuan la veille, en matinée. Nous étions allés nous balader à cheval. C'était notre habitude le dimanche ou les soirs de semaine, quand nous n'étions pas exténués.

En ce lundi, mon ami devait être en train de nettoyer son équipement et de préparer une nouvelle expédition avec MacFarley. Mais pourquoi Kiaokéli errait-elle seule sur le chantier ? Elle s'était peut-être enfuie du campement chinois, à moins que Ti-Khuan ait eu un accident de cheval... Comme moi, Ti-Khuan ne possédait pas de selle ; il montait sa jument à même une épaisse couverture tissée, qui demeurait en place grâce à un lacet de cuir. La présence de la couverture confirmait que Ti-Khuan avait monté Kiaokéli peu de temps auparavant. Mon ami n'était sans doute pas loin du chantier. Mon premier souci était de m'assurer qu'il n'avait pas fait de chute dans la forêt environnante.

Anxieux, j'achevai ma tâche à la hâte et pris Wednesday par la bride pour revenir vers le groupe d'hommes sur le chantier.

— Bobby, dis-je en m'adressant à mon contremaître, je sais que la journée de travail n'est pas tout à fait terminée, mais est-ce que je peux partir maintenant ?

— D'accord, Luke, me répondit-il. Tu as bien travaillé. Est-ce que tu peux t'occuper de ce cheval marron qui se promène tout seul ?

— Oui ; je connais son propriétaire, je vais le lui ramener.

— Parfait. Voici ta paie.

Bobby me tendit les cinq billets de vingt-cinq sous. Je le remerciai et glissai dans ma poche ce salaire tant attendu. J'ôtai mon foulard brun et, du bout de mon chapeau — inestimable cadeau de mon père pour mes onze ans —, j'époussetai mon pantalon de toile et ma chemise écossaise recouverts de terre et de poussière de cailloux. Mes habits, trop épais et trop chauds pour la saison, sentaient la sueur. Je les avais pourtant lavés trois jours auparavant... Mes bretelles me faisaient honte tant elles étaient crasseuses et abîmées. Je décidai qu'une fois que Ti-Khuan serait retrouvé, j'irais au magasin général de Laggan pour m'acheter le maillot fin à manches longues exposé dans la vitrine ainsi qu'une paire de bretelles neuves. Ce n'était pas du luxe ! D'autant plus qu'en été je n'enfilais pas de caleçon long sous mon pantalon. Si mes bretelles se brisaient, je risquais d'être surpris les fesses à l'air !

J'allai retrouver Kiaokéli, qui avait délaissé la terre de la colline pour brouter des broussailles aux abords du chantier. Je pris sa bride. En tenant Wednesday de la main gauche et Kiaokéli de la main droite, je me rendis jusqu'à la rivière pour permettre à mon cheval de se désaltérer.

Je grimpai sur Wednesday sans lâcher les rênes de Kiaokéli, et nous nous engageâmes sur le chemin qui traversait le bois. Le chantier que nous quittions se trouvait à environ quatre kilomètres de Laggan, le camp de base des douze mille ouvriers participant à la construction de la voie ferrée dans la région du mont Stephen, située entre l'Alberta et la Colombie-Britannique. C'était dans cet ensemble de cabanes en bois rond, de bâtisses plus riches et de maisonnettes rustiques que se trouvait le dortoir A-08, celui des arpenteurs, où j'avais ma couche. Quant au campement de la main-d'œuvre chinoise, il se trouvait un peu avant les premières baraques de Laggan, le long de la rivière Bow.

De ma voix la plus forte, je criai le nom de mon ami à travers la forêt.

— Ti-Khuan ! criai-je. Ti-Khuan, es-tu là ?

Seul le chant des oiseaux me répondit…

Je pris le temps de regarder chaque roche bordant le chemin et chaque recoin sombre.

Mais la forêt de pins ne dissimulait pas grand secret, et le sous-bois n'était pas dense. Au pied des troncs, seuls le bois mort, la mousse et les fleurettes se disputaient la place.

— Ti-Khuan! répétai-je en vain.

Le sentier longeait maintenant la rivière Bow, un magnifique cours d'eau impétueux dont le vacarme couvrait la respiration de Wednesday. Je hurlai une autre fois le nom de mon ami, mais aucun signe ne laissait présager qu'il se trouvait dans les parages...

Après une quarantaine de minutes, j'aperçus sur l'autre rive les premières tentes du campement chinois, et l'étroit pont de bois y menant. Les lieux semblaient déserts; à cette heure-ci de la journée, les ouvriers chinois se trouvaient encore sur les chantiers. J'accélérai l'allure de mon cheval, et la docile Kiaokéli nous suivit. Nous traversâmes le pont.

Une fois au cœur du campement, je descendis de ma monture. Sans lâcher la bride des chevaux, je m'approchai de la tente que Ti-Khuan partageait avec sept autres Chinois.

— Ti-Khuan! lançai-je.

Personne ne me répondit. Je me baissai pour passer la tête sous la porte en toile et je jetai un coup d'œil à l'intérieur. La tente était vide. Je reconnus les affaires de Ti-Khuan et le gilet de laine qu'il revêtait par temps froid. L'équipement qu'il emportait à chaque expédition était dans un coin, prêt et rangé.

Un homme de race chinoise me surprit alors que je me relevais. Il avait surgi de nulle part et il paraissait pressé.

— Qu'est-ce que tu fabriques ici? me demanda-t-il, intrigué.

— Je cherche Ti-Khuan Wu, répondis-je.

— Son nom ne me dit rien, mais cela ne fait pas longtemps que je suis arrivé, lâcha-t-il. Malgré l'événement, les gens sont tous repartis travailler!

— Quel événement?

— On a retrouvé un Chinois dans la rivière ce matin.

Mon cœur s'arrêta net.

— Un jeune? bredouillai-je, bouleversé.

— Dans la vingtaine, il me semble.

J'avalai ma salive, à moitié rassuré. Crottin de citrouille! Je savais que Ti-Khuan paraissait plus âgé qu'il ne l'était, mais pouvait-on lui donner plus de vingt ans ?

– Ce Chinois, il était... mort ? voulus-je savoir.

– Il n'était pas en train de se baigner, pardi ! Quand on l'a repêché, on a tous pensé qu'il s'était noyé. Mais, quand la police « montée » est venue sur les lieux pour l'examiner, elle a découvert en enlevant son foulard qu'il avait été étranglé avec une corde.

– C'est horrible, murmurai-je, affolé.

– Ouais... répondit l'homme en haussant les épaules. Faut que je te laisse, je dois aller chercher du bois.

– Où ça s'est passé ? me renseignai-je avant qu'il s'éclipse.

– On l'ignore. Le corps du gars a dû être emporté par le courant. Il a été retrouvé près d'ici, sous le pont. Allez, salut !

L'homme disparut pour de bon.

Pris de panique, je restai seul avec Wednesday et Kiaokéli, qui me regardaient de leurs grands yeux attendris. La disparition de Ti-Khuan était-elle liée à la découverte du Chinois dans la rivière ? Qui était cet homme qu'on avait étranglé et jeté dans le courant tumultueux de la Bow ? Ti-Khuan ne pouvait pas être parti plus tôt en expédition avec MacFarley, car ses affaires attendaient dans la tente, et Kiaokéli, qui faisait partie de leur équipe et transportait leurs bagages, se trouvait à mes côtés ! Je n'avais qu'une seule idée en tête : me rendre à l'hôpital temporaire de Laggan pour vérifier si mon ami n'y avait pas été admis comme blessé.

3

L'hôpital

L'hôpital temporaire de Laggan avait été aménagé en bordure de la forêt, dans une longue cabane de bois rond, à l'extrémité de la rue principale. Il avait été construit par la compagnie Canadian Pacific Railway pour répondre aux besoins des travailleurs du chantier de construction de la voie ferrée. Y œuvraient presque nuit et jour des infirmières et un médecin. Parfois, des chirurgiens venus de Calgary se joignaient à l'équipe. Je n'y avais jamais mis les pieds... Prétextant que les risques d'infection y étaient élevés, mon père m'avait interdit de m'en approcher à moins d'être vraiment malade.

La majorité des patients étaient des gens blessés par des explosions ou par des avalanches, ou des personnes souffrant de maux affreux. Le scorbut – la maladie dont ma mère était morte — faisait des ravages. Mais la plus grande menace de la région demeurait la fièvre des Rocheuses, ou typhoïde. Elle commençait par une diarrhée, qui durait une dizaine de jours. S'ajoutaient ensuite des maux de tête, une fièvre intense et des douleurs abdominales qui rendaient l'épreuve atroce et parfois mortelle... Un arpenteur nommé Bacon Juice pour sa prédilection pour le cochon grillé et son grand tour de taille avait perdu quinze kilogrammes en un mois à cause de ses coliques... Cette maladie infectieuse, causée par une bactérie, pouvait se propager rapidement dans les dortoirs où les ouvriers s'entassaient et sur les lits de camp de l'hôpital. On était contaminé par l'ingestion de boissons ou d'aliments souillés par les selles d'hommes infectés ou de porteurs sains, ou par le manquement aux règles d'hygiène de base, comme le lavage des mains.

Les rares fois où mon père et moi avions été souffrants, nous avions préféré ignorer l'hôpital, et nous fier aux vertus des bouillons et des médecines chinoise et amérindienne... Mais s'il fallait, ce jour-là, que je franchisse le pas de cet édifice maudit pour retrouver Ti-Khuan, je le ferais !

En arrivant aux abords de la cabane de bois rond, j'aperçus deux infirmières – une jolie blonde et une vieille dame – qui discutaient sur le seuil. Sans descendre de ma monture, j'engageai la conversation.

– Bonjour, commençai-je d'une voix tremblotante.

– Bonjour, mon garçon, répondit la jolie femme aux yeux noirs comme le café.

– Est-ce que vous avez vu un jeune Chinois qui s'appelle Ti-Khuan, s'il vous plaît ? lui demandai-je.

– Quel âge a ton copain ?

– Quatorze ans.

– Non, nous n'avons aucun blessé ni malade de cet âge-là, mon garçon.

– Merci, soupirai-je, à moitié rassuré. L'homme trouvé dans la rivière ce matin, savez-vous de qui il s'agit ?

– Il s'appelle Lee… Lee…

– Lee Chang, compléta sa collègue.

– Oui, c'est ça, Lee Chang, renchérit la jeune blonde.

– Merci beaucoup !

— De rien. Tu es bien chanceux d'être en compagnie de si jolis chevaux !

— Merci, répétai-je en m'éloignant.

Ti-Khuan n'avait donc pas été repêché dans la rivière. La nouvelle me réjouissait. Qu'il ne fût pas admis à l'hôpital ne me rassurait pas pour autant, car il manquait toujours à l'appel. Je ne savais plus quoi faire... Je décidai d'aller trouver mon ami Bobcat, qui avait toujours de bonnes idées.

4

Bobcat

Bobcat était un Amérindien de la tribu des Blackfeet. Il était âgé de vingt-quatre ans et travaillait en tant que guide de montagne pour les géologues du chantier de construction de la voie ferrée. Il partait souvent en mission durant plusieurs jours ou plusieurs semaines. Il venait de revenir d'une expédition d'un mois à l'ouest du col du Cheval-qui-Rue. J'avais fait sa connaissance avec mon père alors que Bobcat guidait les premières prospections des arpenteurs dans la région du mont Stephen. Il connaissait le territoire mieux que personne et était un accompagnateur très respecté. On l'appréciait aussi pour son grand sens de la diplomatie. Il vivait dans le campement amérindien avec sa femme, Anna, et leur fils, Tommy, âgé de cinq ans.

Je quittai le centre de Laggan et repris le sentier qui longeait la rivière, vers le sud cette fois. Après quelques centaines de mètres, j'aperçus la pointe blanche des tipis de sa communauté.

Une vingtaine de tentes formaient le campement amérindien. Celle de Bobcat était plantée à l'écart des autres, au cœur d'une petite clairière. Mon ami était assis par terre sur un morceau de cuir. Il aiguisait un couteau sur l'angle d'une pierre. Entendant le pas de mes chevaux et sentant la poussière que notre convoi soulevait dans les airs, il releva la tête.

— Salut, Luke ! me lança-t-il avec son beau sourire.

Le soleil avait ridé sa peau couleur cannelle. Ses longs cheveux noirs étaient tressés en deux nattes épaisses qui dégringolaient sur ses épaules. Bobcat portait toujours des vêtements sobres : un pantalon et une chemise de toile achetés au magasin général, un gilet de cuir sans manches et des bottes-mocassins. À son cou pendait un collier de perles, comme certains Amérindiens avaient coutume d'en porter. Il ne fallait pas se fier à son apparence maigrichonne : Bobcat était aussi fort qu'un bûcheron et aussi souple qu'un roseau.

— Salut, Bobcat ! lui répondis-je en descendant de Wednesday.

— Je croyais que tu travaillais aujourd'hui, Luke. Pourquoi Kiaokéli est-elle avec toi ?

— J'ai quitté le chantier plus tôt pour retrouver Ti-Khuan. Il a disparu !

Bobcat cessa d'aiguiser son couteau et me fixa de ses yeux noirs.

— Comment ça, Ti-Khuan a disparu ? répéta-t-il, étonné.

— J'ai trouvé sa jument errant dans la nature, lui expliquai-je, mais aucune trace de Ti-Khuan. J'ai crié son nom dans la forêt au cas où il serait tombé. Ensuite, je suis allé au campement chinois pour vérifier s'il était dans sa tente, mais il n'y était pas. J'ai décidé de me rendre à l'hôpital de Laggan ; là-bas, les infirmières m'ont dit qu'elles ne l'avaient pas vu. Je ne sais plus où chercher, c'est pourquoi je suis venu te voir...

— Tu as bien fait, Luke, dit Bobcat sur un ton posé. Peut-être que Ti-Khuan est en expédition avec MacFarley...

— J'y ai pensé, mais son équipement est dans sa tente, et il ne part jamais dans la montagne sans Kiaokéli !

— La journée de travail étant presque terminée pour tout le monde, les ouvriers chinois doivent être revenus à leur campement à présent. Je te propose d'aller nous renseigner de nouveau auprès d'eux. Il est fort probable que des hommes l'auront croisé ou qu'ils sauront où il se trouve. Tu ne dois pas t'inquiéter, Luke, nous allons le retrouver.

— Sais-tu qu'on a sorti un Chinois des eaux de la rivière ce matin, près du pont ? lui demandai-je.

— Oui, acquiesça Bobcat, le visage assombri. Un ami qui a croisé la carriole sur laquelle on transportait le cadavre m'a transmis la nouvelle. Lee Chang a été étranglé.

— Tu le connaissais ?

— Non.

— J'ai peur, Bobcat… Si la disparition de Ti-Khuan avait un rapport avec ce meurtre ?

— Que vas-tu t'imaginer, Luke ! s'exclama mon ami en se levant. Ne t'inquiète pas et donne-moi une minute.

Bobcat répétait souvent *ne t'inquiète pas...* Je ne l'avais jamais vu perdre son sang-froid, même dans les situations les plus difficiles, comme celle qui s'était produite à la fin du printemps, quand un ouvrier avait couru pour rejoindre son équipe et glissé sur une traverse. Il s'était retrouvé coincé sur la voie ferrée, le soulier bloqué sous un rail, au moment de l'arrivée de la locomotive. Bobcat s'était précipité sur lui pour découper le cuir de sa chaussure à l'aide de son couteau et dégager son pied. Le sifflement de la locomotive avait retenti jusqu'aux sommets des Rocheuses ! Sans Bobcat, l'ouvrier aurait été écrasé... Si je n'avais jamais vu mon ami en détresse, je ne l'avais jamais entendu rire non plus. Bobcat était un homme fier et sérieux. Il souriait mais ne rigolait jamais, même lorsqu'il jouait avec son fils.

Il alla chercher un seau rempli de vieux grains de maïs pour nourrir Wednesday et Kiaokéli. Puis, il me servit une tasse de thé, m'offrit des lanières de bœuf salé et un morceau de banik, que j'avalai avec gloutonnerie. Anna et Tommy faisant des courses au village, Bobcat était seul au tipi. Il prépara

son cheval, Comète — un magnifique mustang dont la robe noire était marquée d'une
tache blanche en forme de losange entre les
deux yeux —, et nous partîmes aussitôt en
direction du campement chinois.

5

Les recherches

Le campement chinois était plus animé qu'une heure auparavant. Les ouvriers s'activaient entre les maisonnettes de toile, la fumée des premiers feux s'élevait dans le ciel et des odeurs de cuisine flottaient dans l'air. Bobcat et moi attachâmes nos chevaux et Kiaokéli à la barrière destinée à cette fin près de la rivière.

À l'approche de la tente de Ti-Khuan, nous vîmes trois de ses compagnons de chambre discuter autour d'un feu sur lequel une théière chauffait.

— Salut, leur dit Bobcat. Avez-vous vu Ti-Khuan ?

— Euh, non, répondit l'un des Chinois fumant une cigarette.

— Moi, je l'ai vu ce matin, intervint un autre.

— Que faisait-il ? lui demandai-je.

— Il préparait ses affaires pour son expédition avec le photographe. Il devait partir demain matin, je crois. Kiaokéli n'est pas là ; leur départ a dû être devancé.

— Non, c'est impossible, répondis-je. Ses affaires n'ont pas quitté sa tente.

— Ah bon ! je n'y ai pas prêté attention.

— Quant à Kiaokéli, ajoutai-je, je l'ai trouvée cet après-midi. Elle était seule et se promenait près d'un chantier, vers la rivière.

— C'est bizarre, commenta le troisième homme. Allez voir aux cuisines ; les cuistots savent peut-être où il se trouve.

Crottin de citrouille ! Comment avais-je pu oublier que Ti-Khuan aidait souvent aux cuisines lorsqu'il n'était pas en mission dans la montagne ?

Bobcat et moi laissâmes les trois hommes à leur discussion et poursuivîmes nos recherches, nourris d'un nouvel espoir.

Hélas ! les cuisiniers n'élucidèrent pas notre mystère. Ils n'avaient pas vu mon ami de la journée et ignoraient où il pouvait être.

Déçu, le cœur chagrin et de plus en plus soucieux, je proposai à Bobcat d'aller rencontrer Will MacFarley, le photographe pour lequel Ti-Khuan travaillait. Il tenait un studio temporaire dans une des maisons les plus cossues de Laggan, située entre la boutique du barbier et le petit édifice aux airs pompeux servant de banque. Bobcat le connaissait un peu, car MacFarley s'était parfois joint à des missions de géologues. Moi, je ne l'avais croisé qu'une seule fois, au magasin général. Cet homme m'intimidait. Il était très grand, et ses yeux vifs et rapprochés vous transperçaient lorsqu'il vous regardait. Il portait une barbichette taillée au millimètre près, un costume toujours impeccable et des chaussures en cuir si brillantes qu'on pouvait s'y mirer! Bobcat jugea l'idée bonne. Nous attachâmes la bride de Kiaokéli à la selle de Comète et quittâmes le campement chinois sans plus tarder.

Will MacFarley conversait vivement avec le barbier sur le pas de sa boutique. Du haut de son mètre quatre-vingt-quinze, il gesticulait en lui expliquant comment réaliser un bon portrait.

Bobcat descendit de sa monture et me fit signe de l'imiter. Puis, il s'avança vers les deux hommes, qui cessèrent de parler en nous voyant.

— Monsieur MacFarley ? dit-il.

— Oui, répondit l'intéressé, alors que le barbier rentrait dans sa boutique en marmonnant quelque chose d'incompréhensible.

— Je m'appelle Bobcat. Voici Luke MacAllan.

— Je me souviens de vous, Bobcat, déclara MacFarley avec un sourire. Vous êtes l'un de nos meilleurs guides !

— Merci, monsieur. Je me permets de vous déranger, car nous cherchons Ti-Khuan, votre porteur. L'auriez-vous vu par hasard ?

— Non, pas aujourd'hui. Il n'est pas à sa tente ?

— Non, monsieur.

— J'espère que ses affaires sont prêtes, car nous partons demain à l'aurore.

— Certainement, lui assura Bobcat. Savez-vous s'il devait se rendre quelque part aujourd'hui ?

— Non, je ne le sais pas. Mais cela me surprendrait beaucoup ! Ti-Khuan est un garçon sage et consciencieux. La plupart du temps, il reste au campement, pour préparer l'expédition et se reposer. Vous savez, son travail est rude et exigeant. Nous passons souvent plusieurs jours à grimper dans la montagne avec un matériel coûteux ficelé sur les deux mules et le cheval. Nous devons traverser des éboulis, des couloirs d'avalanches, des forêts infestées de grizzlys et de mouches... Ces périples ne sont pas des voyages d'agrément !

— Oui, nous le savons, dit Bobcat.

— Demain, nous partons faire l'ascension de l'une des crêtes du massif montagneux de Whitehorn, ajouta MacFarley dont les yeux trahissaient l'excitation. Ce n'est pas très loin d'ici, mais la pente est abrupte. Notre voyage durera six jours. Vous connaissez ce trajet sans doute mieux que moi, Bobcat ! De là-haut, les vues sur la voie ferrée serpentant au cœur de la vallée de la Bow seront splendides. Le beau temps ne durera pas, il faut en profiter. J'attends Ti-Khuan à cinq heures trente demain matin. Quand vous le verrez, vous lui direz de ne pas se coucher tard, n'est-ce pas ?

— Nous n'y manquerons pas, le rassura Bobcat.

— Celui qui demande aux autres de se coucher tôt devrait être le premier à appliquer ses bons conseils, conclut MacFarley en franchissant la porte de la maison voisine. Au revoir, messieurs !

Je le regardai disparaître et soupirai de désespoir. Comme pour me consoler, Wednesday souffla bruyamment. Je me rapprochai de lui pour sentir la chaleur de son corps et je lui prodiguai une caresse sur la tête.

Bobcat me jeta un regard qui se voulait apaisant.

— Dans peu de temps, il fera nuit, souligna-t-il. Regarde, le soleil est déjà derrière les montagnes… Je dois rentrer au tipi, car Anna et Tommy vont s'inquiéter de mon absence. Tu devrais retourner, toi aussi, au baraquement et dormir. Demain matin, je suis sûr que nous y verrons plus clair et que nous comprendrons ce qui s'est passé. Si Ti-Khuan s'est perdu dans la forêt, il saura se débrouiller. Ce n'est pas un bébé, tu dois lui faire confiance.

— Et si on informait la police ou le juge Morgan de sa disparition ? proposai-je. Les nouveaux policiers Truman et Foster nous aideront peut-être à le retrouver.

— Attendons demain, Luke. De toute façon, la police ne pourra pas intervenir ce soir.

C'est ainsi que Bobcat me persuada d'interrompre nos recherches. Il garda Kiaokéli avec lui, et nous nous séparâmes. Abattu, je pris le chemin du baraquement A-08 en compagnie de Wednesday. Le souvenir de Ti-Khuan me hantait. Je revoyais son sourire, ses yeux bridés profonds et rieurs. Après avoir été abandonné par mes parents et séparé de ma sœur, devais-je subir la perte de mon meilleur ami ? Je ne pouvais accepter un sort aussi cruel !

C'est en chantonnant sous ma couverture — à l'écart des arpenteurs, qui jouèrent aux cartes jusqu'à minuit dans notre dortoir — la douce berceuse que fredonnait ma mère que j'essayai en vain de trouver le sommeil…

Mon p'tit loup
Tu es doux comme le miel
Agité comme les flots
et changeant comme le ciel
Plus vif que les vents
qui parcourent les plaines
Mais toujours aussi doux
que le plus doux des miels
Mon p'tit loup
Comme je t'aime !

6

L'expédition

Le lendemain matin, après une nuit agitée au cours de laquelle je dormis à peine, je repartis avec Wednesday en direction du campement chinois. Il était huit heures, et les ouvriers étaient déjà sur les chantiers. Un coup d'œil dans la tente de Ti-Khuan me permit de constater que sa couche n'avait pas été utilisée et que personne n'avait touché à son équipement de travail. Les cordes, la boussole, les couvertures, les piolets, la lampe à pétrole, la boîte à pharmacie et les sacs de toile étaient à la place où je les avais aperçus la veille.

Dépité, je partis au trot vers le nord en longeant la rivière Bow sur environ quatre kilomètres, jusqu'à l'endroit où j'avais trouvé Kiaokéli. Je profitai de ma présence sur le chantier, où les travailleurs poursuivaient l'aplanissement de la colline, pour interroger mon contremaître, Bobby. Il n'avait vu personne, et aucun jeune Chinois n'était venu réclamer son cheval.

— Tu ne travailles pas avec nous aujourd'hui, Luke ? me demanda-t-il, étonné.

— Ben, non… bredouillai-je. Je ne pensais pas travailler, en fait. Je dois absolument retrouver un ami. Je suis désolé.

— Il n'y a pas de problème, déclara Bobby avec compréhension. Cela ne t'arrive pas souvent de prendre une journée de congé ! Mais je compte sur toi demain. Il y a encore beaucoup d'ouvrage ici. Nous avons besoin de toi et de ton cheval.

— Je viendrai, c'est promis ! lui criai-je en m'éloignant.

Bobby était le meilleur des contremaîtres. Il m'aimait bien. Il avait connu mon père et savait que je n'avais plus de famille. J'étais chanceux de pouvoir compter sur lui pour obtenir de l'ouvrage. Me fournir du travail était sa façon à lui de m'aider.

Pendant un moment, j'errai vers la rivière, scrutant les alentours à la recherche d'indices. Wednesday se désaltéra dans l'eau cristalline descendue des glaciers et se trempa les pattes pour se rafraîchir. Il faisait déjà chaud. Pas un souffle de vent n'agitait les grands pins.

Nous repartîmes ensuite en direction du sud. Je souhaitais trouver Bobcat et le convaincre de parler de la disparition de Ti-Khuan à la police «montée». Il n'y avait plus une minute à perdre. Ti-Khuan n'était pas du genre à partir sans dire où il allait. J'en étais à présent persuadé : mon ami courait un grave danger !

Lorsque j'arrivai dans la petite clairière où se trouvait le campement de la famille de Bobcat, je vis celui-ci en train de seller son cheval.

— Luke ! me dit-il. J'allais te chercher !

Tenant Tommy dans ses bras, Anna sortit aussitôt du tipi.

— Bonjour, Lucky, me salua-t-elle de sa voix douce.

Anna était la seule à m'appeler ainsi. Elle portait deux longues tresses et une robe brune imprimée de fleurs. Ses beaux yeux noirs m'intimidaient. C'était une très jolie femme, même si son sourire laissait entrevoir une dentition en mauvais état. Tommy dormait, recroquevillé comme un chaton contre sa mère.

— Bonjour, Anna! répondis-je. Salut, Bobcat. Je suis venu te demander si tu veux m'accompagner pour aller parler à la police.

— Ne descends pas de ta monture, Luke, m'ordonna Bobcat. Il faut partir, mais nous n'allons pas voir les policiers.

— Où va-t-on? m'informai-je, surpris. As-tu des nouvelles de Ti-Khuan?

— C'est possible.

— Raconte!

— Je n'ai pas grand-chose à raconter, si ce n'est qu'un gars qui revenait de la chasse ce matin a vu MacFarley partir vers le massif de Whitehorn en compagnie d'un jeune Chinois.

La nouvelle me fit l'effet d'une douche froide. Je ne savais plus quoi penser.

— Un jeune Chinois? répétai-je, éberlué.

— Oui, mais on ne sait pas s'il s'agit de Ti-Khuan, répondit Bobcat.

— Ils sont partis ce matin?

— Vers sept heures.

— Je suis passé au campement vers huit heures, et les couvertures, la boussole, les cordes et tout le reste étaient à côté du lit de Ti-Khuan !

— Si Ti-Khuan est arrivé en retard à son rendez-vous avec MacFarley, celui-ci a dû être furieux. Il a probablement emprunté un cheval et du matériel, et trouvé un autre accompagnateur.

— Ça alors…

— Nous allons partir à la recherche de MacFarley dans la montagne et tenter de le rejoindre avant qu'il soit trop loin, déclara Bobcat. C'est la seule façon de savoir si Ti-Khuan est avec lui. Merci, Anna.

Anna venait de donner un panier de victuailles et deux gourdes à Bobcat, qui les attacha à sa monture. Mon ami grimpa sur Comète.

— N'oublie pas de veiller sur Kiaokéli, s'il te plaît, demanda-t-il à sa femme.

— Je n'oublierai pas, promit-elle. Soyez prudents. Au revoir, Lucky !

— Au revoir, Anna.

J'eus à peine le temps de la saluer de la main. Bobcat avait déjà quitté la clairière, et les sabots de Comète soulevaient la poussière du sentier.

Il nous fallut avancer au trot pendant une heure, à travers la forêt, avant de pouvoir apercevoir les sommets Whitehorn. En général, je ne manquais pas de courage. Mais, dans les circonstances, je me sentais à la fois trop petit, trop inexpérimenté et trop intimidé pour lancer Wednesday au galop sur le sentier. D'ailleurs, depuis que Wednesday partageait ma vie, je n'avais jamais osé le faire galoper…

Bobcat connaissait trois chemins menant aux crêtes. Selon lui, MacFarley avait choisi de suivre celui du nord-ouest, le plus large et le moins dangereux pour les mules ou les chevaux qui transportaient ses précieux appareils photographiques. Bientôt, des traces de sabots imprimées dans le sol humide près d'un ruisseau confirmèrent son intuition.

C'est au détour d'un bosquet, après avoir grimpé la pente rude et traversé une prairie couverte de fleurs jaunes, que nous aperçûmes un convoi dans la montagne : trois mules suivaient deux hommes qui marchaient à la lisière de la forêt.

Bobcat n'était pas du genre à crier. Le risque de déclencher des éboulis était bien réel dans cet environnement inhospitalier où seules les chèvres de montagne se déplaçaient avec aisance.

— Ce sont eux ! me confirma Bobcat. D'après leur allure, nous devrions pouvoir leur parler d'ici quinze minutes.

Je donnai une caresse à Wednesday pour l'encourager. Le sentier se perdait dans la caillasse blanche, et je sentais ses sabots glisser.

Au fur et à mesure que nous approchions d'eux, j'essayais de reconnaître Ti-Khuan. La fine silhouette aux côtés du géant MacFarley lui ressemblait beaucoup. Toutefois, il ne portait pas son habituelle tunique bleue ni son large pantalon. Il avait revêtu les habits d'un montagnard, à l'instar de MacFarley, qui avait troqué son costume impeccable contre un chandail, un pantalon de velours, de hautes chaussettes et des bottillons.

— Ohé ! les héla Bobcat lorsque nous ne fûmes plus qu'à une centaine de mètres d'eux.

Will MacFarley et son compagnon, dont nous pûmes enfin découvrir le visage, se retournèrent. Crottin de citrouille ! Ce jeune Chinois n'était pas Ti-Khuan !

— Que faites-vous ici ? s'écria MacFarley, abasourdi.

Les deux grimpeurs s'étaient arrêtés et nous fixaient comme s'ils voyaient des fantômes. Nous les rejoignîmes en moins d'une minute.

— Pardonnez-nous, répondit Bobcat. J'espère que nous ne vous avons pas effrayés. Monsieur MacFarley, on nous a dit que vous étiez parti avec un jeune Chinois. Nous sommes toujours à la recherche de Ti-Khuan Wu et nous voulions vérifier s'il était avec vous.

— Comme vous le constatez, il n'est pas avec moi ! répliqua MacFarley sur un ton exprimant la colère. Je l'ai attendu une heure. Il n'est jamais venu ! Une chance que ce garçon a accepté de m'accompagner. C'est tout de même très regrettable, car il a peu d'expérience et j'ai dû changer mon itinéraire pour suivre un chemin plus facile.

– J'imagine que Ti-Khuan a eu un contretemps, supposa Bobcat, embêté. Il pourra bientôt vous expliquer ce qui s'est produit.

– Je compte sur lui !

– Connais-tu Ti-Khuan ? demanda Bobcat au jeune Chinois.

– Non, répondit celui-ci, intimidé.

– À présent, je vous demanderais de nous laisser continuer notre ascension, déclara MacFarley, sinon nous ne parviendrons jamais là-haut avant le coucher du soleil !

– Bien sûr, fit Bobcat. Bonne continuation, monsieur MacFarley, et désolé de vous avoir dérangé.

7

Le retour

La descente fut pour moi un véritable cauchemar. Il me semblait que les sabots de Wednesday n'avaient jamais autant glissé sur la roche effritée, et mon derrière aplati comme une crêpe me faisait souffrir le martyre. C'était la première fois que je montais à cheval aussi longtemps... Crispé, les reins cambrés, je tâchais de serrer entre mes jambes la couverture sur laquelle j'étais assis pour éviter de glisser le long de l'encolure et de me retrouver pendu au cou de Wednesday. Progressant avec élégance devant moi, Bobcat ne pouvait voir les singeries que je devais faire pour rester en selle !

De retour vers Laggan, nous allâmes au campement amérindien pour partager avec Anna et Tommy notre panier de victuailles intouché.

— Bobcat, on doit aller parler aux policiers, insistai-je en avalant ma dernière bouchée. Ti-Khuan a disparu depuis près de vingt-quatre heures !

— D'accord. Mais, avant de nous rendre au poste de la police « montée », je propose de ramener Kiaokéli à la communauté chinoise. Elle saura s'en charger. Si Ti-Khuan revient de son mystérieux périple, il aura hâte de retrouver sa monture !

Il était près de quatorze heures. Les ouvriers chinois travaillaient tous sur les chantiers et avaient de nouveau déserté leur campement. Après avoir attaché nos montures à la barrière près du pont, Bobcat et moi nous rendîmes aux cuisines, le seul endroit occupé à cette heure-ci de la journée.

— Salut, dit Bobcat en ouvrant la porte en toile de la tente.

Deux hommes de race chinoise que nous ne connaissions pas s'affairaient à couper des légumes.

— Salut, répondit l'un deux.

— La jument de Ti-Khuan Wu est avec nous, expliqua Bobcat. Est-ce qu'on peut vous la laisser le temps de retrouver le garçon ?

– Retrouver le garçon ? répéta l'autre Chinois sans comprendre. Qu'est-ce que vous voulez dire ?

– Pourquoi n'allez-vous pas lui donner sa jument plutôt ? intervint son collègue, étonné. Ce n'est pas une écurie, ici. C'est à Ti-Khuan de s'occuper de sa bête, pas à nous.

– Ti-Khuan a disparu, lâcha Bobcat.

– Il était avec nous il y a dix minutes, dit le cuisinier. S'il a disparu maintenant...

Je n'écoutai pas la suite de la conversation, car je venais de comprendre ce que la réponse du cuisinier signifiait ! Je sortis aussitôt des cuisines. Le cœur battant à tout rompre, je courus le plus vite possible jusqu'à la tente de Ti-Khuan. Son large pantalon, sa longue tunique bleue et son petit bonnet rond étaient accrochés à une corde face au soleil.

– Ti-Khuan ! criai-je en ouvrant le pan de sa maisonnette en toile.

Il était assis sur son lit et feuilletait un journal chinois.

8

Ti-Khuan

En attendant que ses vêtements fraîche-
ment lavés sèchent, Ti-Khuan avait revêtu
un caleçon long. Ses cheveux noirs comme
le vison d'Amérique étaient tressés en une
grosse natte, comme à l'accoutumée. Il leva
les yeux vers moi. Il paraissait fatigué, et
son visage exprimait un mélange de tristesse et d'indifférence. Cela ne lui ressemblait pas : il était si expressif et si enjoué
d'habitude !

— Salut, Luke, lâcha-t-il.

— Ti-Khuan, mais qu'est-ce qui t'est
arrivé ? lui demandai-je alors que Bobcat
pénétrait sous la tente à son tour.

— Rien, répondit-il.

— Comment ça, *rien* ? répétai-je, abasourdi.

— Rien, je te dis. Je me suis perdu dans la
forêt, c'est tout. Ça peut arriver à n'importe
qui.

Je jetai un coup d'œil à Bobcat, aussi interloqué que moi.

— Nous t'avons cherché partout, Ti-Khuan, intervint-il. Nous nous faisions beaucoup de souci pour toi. Luke a remué ciel et terre pour te retrouver !

— Je suis désolé, murmura Ti-Khuan en replongeant son nez dans son journal.

— Où est-ce que tu t'es perdu ? lui demandai-je.

— Si je le savais, je ne me serais pas perdu.

Je me sentis bête. Bête et en colère… Je souhaitais me réjouir d'avoir retrouvé mon meilleur ami, mais je ne le reconnaissais pas. Ti-Khuan s'adressait à nous sur un ton sec, comme si nos questions l'ennuyaient.

— Que s'est-il passé ? s'enquit Bobcat.

— J'ai marché pendant des heures dans la forêt et je suis tombé sur le lac Louise, expliqua Ti-Khuan. J'ai ensuite suivi le sentier menant du lac à Laggan.

— Comment te sens-tu ?

— Ça va.

— Tu as tout de même l'air bizarre, remarquai-je.

— Je viens de me réveiller, répliqua-t-il, agacé. Cela fait plus de trois heures que je suis revenu. Depuis, j'ai mangé, lavé mes vêtements et dormi, et je te jure que ça va bien.

— Tu as passé la nuit dans la forêt ?

— Oui.

— L'air est glacial dans le bois à la nuit tombée, mentionna Bobcat. Tu n'as pas eu trop froid ?

— Non, répondit Ti-Khuan. J'ai creusé un trou et je me suis construit une sorte de couche avec des branchages. Mais je n'ai pas réussi à dormir. J'avais surtout peur des ours.

— Tu as eu de la chance de ne pas faire de mauvaises rencontres, admit Bobcat. Les grizzlys sont nombreux dans la région. Dormir seul, à la belle étoile, en cette période est extrêmement dangereux.

— Je crois que mes habits sont secs, excusez-moi.

Sur ce, Ti-Khuan se leva et quitta la tente. Bobcat et moi le suivîmes. Il agrippa ses vêtements pendus à la corde et retourna dans ses quartiers pour se changer à l'abri des regards.

Bobcat s'assit sur une bûche qui traînait près du feu de camp éteint et sortit son couteau pour l'aiguiser. C'était une sorte de manie, sans compter que, ici, posséder un bon couteau toujours affûté était indispensable, car on ne pouvait jamais savoir quand il nous sauverait la vie… Ce n'était pas pour rien que mon père m'avait offert un magnifique canif à manche d'ivoire qui ne quittait jamais le fond de ma poche !

Bobcat paraissait soulagé. Je l'étais également, mais l'attitude si distante de Ti-Khuan me préoccupait. Il était peut-être trop orgueilleux pour se confier et pour parler de son expérience désastreuse dans la forêt, mais je le connaissais bien et j'étais certain qu'il nous cachait quelque chose. Ti-Khuan était un garçon affectueux. Après avoir frôlé la mort, il aurait dû se réjouir de revoir ses amis et de constater qu'ils s'étaient inquiétés pour lui !

— MacFarley est parti en expédition avec un autre porteur, lui apprit Bobcat lorsqu'il ressortit de la tente, vêtu de ses habits propres.

— Zut ! grommela Ti-Khuan. Je pensais qu'il m'attendrait et repousserait son départ.

— Il t'a attendu une heure. Il semblait très en colère.

— Je lui expliquerai, il comprendra, conclut Ti-Khuan, qui s'était assis pour finir de lacer ses mocassins.

— Sais-tu que Lee Chang, un Chinois, a été étranglé et qu'on a repêché son corps dans la rivière Bow? lui dis-je.

— Les cuisiniers m'en ont parlé tout à l'heure, répondit-il.

— Le connaissais-tu?

— Non.

— J'ai eu tellement peur qu'il te soit arrivé malheur! lui avouai-je.

— Je suis désolé, Luke. Ce qui me cause le plus de peine dans cette histoire, c'est d'avoir perdu Kiaokéli.

— Kiaokéli n'est pas perdue! s'exclama Bobcat. Luke l'a récupérée. Elle errait près du chantier hier. Elle est en ce moment même aux côtés de nos chevaux, près du pont.

Le visage de Ti-Khuan s'illumina. Mon ami bondit et disparut entre les tentes du campement en direction du pont.

Bobcat et moi le rejoignîmes près des chevaux. Collé contre le flanc de Kiaokéli, les bras enroulés autour de son cou, il avait fermé les yeux. Il semblait enfin apaisé. Crottin de citrouille! Pourquoi n'y avais-je pas pensé plus tôt? C'est parce qu'il se préoccupait du sort de sa jument que Ti-Khuan était de mauvaise humeur!

— Merci, Luke, murmura-t-il. Merci infiniment...

Bobcat et moi restâmes ainsi quelques minutes, assistant en silence à ces retrouvailles émouvantes, sous le grondement de la rivière.

— Es-tu tombé de ta jument? demandai-je à Ti-Khuan.

— Oui, me répondit-il en rouvrant les yeux. J'ai eu de la chance de ne pas me blesser.

— Kiaokéli s'est enfuie?

— Oui. Elle a eu peur, je crois.

— Je ne comprends pas, déclarai-je. Tu t'es perdu et tu as retrouvé ton chemin près du lac Louise, mais c'est sur l'autre rive de la Bow par rapport au chantier de construction, et à environ huit kilomètres de l'endroit où j'ai récupéré Kiaokéli. Ta jument ne s'échappe jamais. Elle n'a pas pu fuir aussi loin, et tu n'as pas pu marcher autant de kilomètres, surtout que c'est la haute montagne, là-bas...

— Tu m'énerves avec tes questions! se fâcha Ti-Khuan. Je ne suis pas fier de ce qui s'est passé, alors fiche-moi la paix, je suis fatigué!

— Laissons Ti-Khuan se reposer, Luke, me conseilla Bobcat. Ne te tracasse pas, tout va bien aller. Si tu veux, tu peux revenir avec moi au tipi. Nous irons nous baigner dans la rivière avec Tommy.

— Non, merci, bredouillai-je, vexé.

— Tu es sûr?

— Oui, j'ai des courses à faire, ajoutai-je en tentant de ne pas perdre contenance.

Les yeux pleins d'eau, je détournai mon visage. Ti-Khuan ne m'avait jamais parlé sur ce ton.

9

Sunny Face

Le lendemain matin, je repris le chemin du chantier de construction en compagnie de Wednesday. J'avais encore mal aux fesses à cause de la randonnée à cheval de la veille.

J'avais décidé d'écouter Bobcat et de ne plus m'en faire à propos de Ti-Khuan. Je souhaitais que mon ami retrouve vite sa belle humeur. Il avait dû ressentir une peur effroyable dans la forêt... Un jour viendrait où il me raconterait son histoire.

Ce matin-là, j'étais aussi fier qu'un paon. Je portais mes nouvelles bretelles et un modèle à ma taille du maillot rouge exposé dans la vitrine du magasin général de Laggan, où j'avais effectué mes achats la veille. Après avoir essuyé les compliments et les commentaires jaloux de mes collègues, qui me virent arriver sur le chantier vêtu de mes beaux habits neufs, je me mis au travail.

J'attelai le bac en bois à Wednesday, et nous partîmes pour notre premier voyage entre la colline dont les ouvriers aplanissaient la surface et le fossé où la terre et la roche des remblais devaient être déversées.

Mes journées de labeur commençaient rarement avant neuf heures et demie et se terminaient autour de seize heures ; elles étaient moins longues que celles des autres ouvriers. J'étais très jeune et n'avais pas leur endurance, même si j'étais beaucoup plus musclé que la plupart des garçons de mon âge. Puissant et patient, Wednesday travaillait fort et me facilitait la tâche. C'était d'ailleurs grâce à lui que Bobby me payait comme les autres. Je possédais un cheval sur lequel il pouvait compter, ce qui n'était pas le cas de la majorité des ouvriers. La compagnie Canadian Pacific Railway avait besoin de chaque homme si elle souhaitait enfin voir le chemin de fer traverser le pays d'un océan à l'autre !

Nous déplaçâmes des kilogrammes de terre et de caillasse dans notre bac, puis vint le temps de la pause du repas du midi. On nous servit du bœuf salé, du pain, des galettes de gruau aux pommes et du thé. Je mangeais toujours rapidement afin de profiter de quelques minutes pour aller au bord de la rivière avec Wednesday ou pour affûter mon canif. Ce jour-là, cependant, je restai avec les autres sous les arbres de la forêt, à l'ombre des chauds rayons du soleil. Un coup de sifflet annonça la reprise du travail, et chacun retourna à son poste. J'étais en train de remplir le bac en bois d'une première pelletée de débris lorsqu'on hurla.

— Un homme dans la rivière !

Les ouvriers lâchèrent pelles, pioches, piolets et pics et se précipitèrent au bord de l'eau, où se tenait l'individu qui venait d'alerter tout le monde. Sans réfléchir, je posai mon outil et suivis les autres. Je franchis en courant la centaine de mètres qui me séparaient du lieu de la découverte macabre et parvins à me frayer un chemin parmi les corps robustes qui s'agglutinaient sur les rives de la Bow.

Je vis le corps de l'homme flotter parmi les roseaux. Il était de race chinoise, assez vieux, et vêtu d'un pantalon et d'une veste en toile brune. Ses yeux étaient fermés, ses pieds, nus, et ses joues, gonflées. On le tira sur la grève, et quelqu'un posa son oreille sur son cœur. On comprit qu'il était mort. Les regards se dirigèrent vers le cou de l'homme. Aucune trace ne laissait penser qu'il avait été étranglé comme Lee Chang.

— Je le connais ; c'est Sunny Face ! cria un homme.

10

Une affaire classée

Le cadavre de Sunny Face fut placé dans une charrette attelée à une mule, et plusieurs hommes se préparèrent à l'escorter jusqu'à Laggan. Malgré ce nouveau drame qui frappait la communauté chinoise, la main-d'œuvre demeura sur place.

— On reprend le travail ! ordonna Bobby, qui ne souhaitait pas voir la journée s'interrompre si tôt.

J'attendis que le soleil atteigne la cime du grand sapin bleu qui me servait de repère — je savais alors qu'il était autour de seize heures ! — avant de quêter mon dû auprès de Bobby. Ma paie en poche, j'allai à la rivière pour donner un répit à Wednesday et lui permettre de se rafraîchir un peu. Puis, nous partîmes en direction du campement chinois.

J'étais nerveux à l'idée de parler à Ti-Khuan. Notre dernière conversation n'avait pas été facile. Je souhaitais m'assurer qu'il allait bien et que Sunny Face n'était pas l'un de ses amis. Arrivé au campement chinois, j'attachai Wednesday à la barrière près du pont. Il me semblait que mon cheval était de plus en plus doux et moins fougueux que lors de nos premières escapades. Je lui prodiguai une caresse sur le museau. La chaleur de son souffle me rasséréna.

Ti-Khuan était assis, seul, sur une natte au pied de sa tente. Il était en train de plier le tablier blanc qu'il mettait chaque fois qu'il aidait aux cuisines.

— Salut, Ti-Khuan ! lançai-je.

Il sursauta.

— Bonjour, Luke... Tu m'as fait une de ces peurs !

— Désolé. Tu as travaillé avec les cuisiniers ?

— Oui.

— Ça va ?

— Oui, merci.

— Es-tu au courant à propos de Sunny Face ?

— Oui.

Je sentis un trémolo dans sa voix.

— Tu le connaissais ?

— Non, Luke, me répondit-il en me lançant un regard noir. Ce n'est pas parce que je suis Chinois que je dois connaître tous les Chinois de la vallée !

— Ce n'est pas la peine de te fâcher, marmonnai-je. Il aurait pu être un de tes amis, c'est tout.

— Pardon, Luke, reprit Ti-Khuan pour s'excuser. Je ne suis pas fâché. C'est juste que les gens ne parlent que de ça depuis que c'est arrivé !

— Avoue que ce n'est pas banal ! À deux jours d'intervalle, deux hommes, dont l'un a été étranglé, ont été retrouvés morts dans la rivière.

— Les policiers sont là pour mener des enquêtes, non ?

— Qu'est-ce que tu me caches, Ti-Khuan ? m'impatientai-je.

— Mais rien ! protesta-t-il, de nouveau en colère. Pourquoi je te cacherais quelque chose ?

– Je ne sais pas… Je te trouve bizarre depuis que tu es revenu.

– Je ne suis pas bizarre du tout ! J'ai besoin de me reposer et je voudrais qu'on me fiche la paix. J'ai eu super-froid, faim et très peur. J'aimerais te voir seul dans la forêt pendant des heures… J'ai cru que j'allais être dévoré par les ours !

Crottin de citrouille ! J'aurais bien aimé qu'il me la raconte, sa fichue histoire, et qu'il m'explique comment il avait pu parcourir huit kilomètres dans la forêt sauvage sans déchirer son pantalon ! Avait-il souffert du froid, oui ou non ? Ses propos me semblaient contradictoires, mais j'étais fatigué de m'évertuer à les comprendre. Et chagriné de m'apercevoir qu'il ne souhaitait pas se confier à moi s'il avait un problème. Notre amitié n'était pas aussi profonde que je l'avais espéré.

– Bon, je vais y aller, soupirai-je. Si tu veux te changer les idées et te balader avec Kiaokéli un de ces jours, Wednesday et moi, on sera contents de vous accompagner. Tu me préviendras, d'accord ?

– D'accord, souffla Ti-Khuan.

Déçu, je le laissai ainsi et me dirigeai vers les cuisines du campement.

Dans la tente, la chaleur était suffocante, mais une délicieuse odeur flottait dans l'air. Un vieux Chinois nommé Oliver nettoyait des chaudrons.

– Salut, Oliver !

– Bonjour !

– Ça sent bon, lui dis-je. Est-ce que c'est possible d'avoir quelque chose à manger ?

Je sortis un billet de vingt-cinq sous et le posai sur le comptoir près de lui. C'était beaucoup d'argent pour un repas, mais je ne voulais pas qu'il pense que je souhaitais manger gratuitement. J'espérais qu'il me rendrait des pièces…

Oliver me regarda, étonné.

– Garde ton argent et veille à ne pas attirer les voleurs, dit-il. Les plats ne sont pas prêts. Les cuisiniers sont en pause près de la rivière. Ils prennent l'air. Il fait si chaud, ici ! C'est intenable. Ce que je peux t'offrir, c'est un bol de bouillon de chou avec des nouilles. Ça te va ?

– Ce serait super ! acceptai-je, ravi.

J'adorais la nourriture chinoise, avec ses ingrédients colorés, croquants ou mous, sucrés ou salés. Et ce que j'aimais par-dessus tout, c'était les nouilles !

Cet endroit me rappelait mon père. J'étais souvent venu ici avec lui. Il m'avait expliqué l'importance de manger des fruits et des légumes pour ne pas être frappé du scorbut, la maladie qui avait emporté ma mère. Il prétendait que les aliments chinois et les bouillons regorgeaient de vitamines. J'étais en train de penser à lui, à son rire formidable, à son visage et à ses gestes tranquilles lorsque Oliver déposa un grand bol fumant devant moi.

— Tu vas bien ? me demanda-t-il, comme s'il percevait ma tristesse.

— Oui, merci, soupirai-je.

Je pris une première cuillerée du bouillon dans lequel flottaient de longues nouilles plates. Ce mets était savoureux.

— Ti-Khuan Wu est venu travailler avec vous tout à l'heure ? demandai-je.

— Oui, répondit Oliver en se remettant à la vaisselle.

— Il lui est arrivé une drôle d'histoire, ajoutai-je en espérant en apprendre un peu plus.

— Pauvre Ti-Khuan! Il a vécu une expérience traumatisante dans la montagne. Et je crois qu'il est très déçu d'avoir manqué l'expédition avec le photographe. Il pense avoir perdu sa place de porteur.

— Il ne doit pas s'inquiéter, rétorquai-je. C'est évident que MacFarley tient à lui.

— Tu le lui diras, cela le rassurera.

— Est-ce que vous savez ce qui est arrivé aux deux hommes repêchés dans la Bow?

— L'affaire est classée, déclara Oliver en s'épongeant le front avec un torchon. On raconte que Sunny Face est le meurtrier de Lee Chang, et que c'est une sordide affaire de vol qui a dégénéré en dispute et en meurtre.

— Ah bon?

— Oui; ils étaient sans doute complices dans une sale affaire.

— Qui vous a dit ça?

— James Cole, un Blanc qui connaissait Sunny et qui n'arrêtait pas de lui faire la morale pour qu'il cesse ses mauvais coups.

Ce Chinois n'avait pas bonne réputation, tu sais. Il était suspecté d'avoir volé un baril de bœuf salé, un cheval et des outils sur un chantier. Il paraît qu'on a déjà retrouvé une broche avec des perles dans sa boîte à casse-croûte !

— Sunny Face et Lee Chang ont réglé leurs comptes entre eux ?

— Exactement ! s'exclama Oliver. On pense qu'ils se sont battus. Sunny a dû étrangler Lee, puis tomber dans la rivière. Il a dû rester bloqué entre les rochers ou dans les joncs. Ce doit être la raison pour laquelle on n'a pas trouvé les deux corps en même temps.

— Quelle histoire ! marmonnai-je, la bouche pleine de nouilles délicieuses.

— Il paraît que, pas plus tard que dimanche soir, James a surpris Sunny dans la forêt en compagnie d'un cheval mustang qu'il avait volé, poursuivit Oliver. Il l'a sermonné comme un curé !

— Un cheval dans la forêt, répétai-je, troublé. Ça alors... J'aimerais bien savoir dans quel coin ils étaient !

— Tu n'as qu'à aller le lui demander, suggéra Oliver. James est un bon gars, il te répondra. Il habite dans le baraquement B-11, à Laggan.

11 ▶

James

Le lendemain était un jeudi, et je repris mon travail. Une fois ma journée terminée, je décidai d'aller rencontrer ce James Cole dont Oliver m'avait parlé. Je souhaitais lui demander dans quelle partie de la forêt il avait surpris Sunny Face avec le cheval volé. Je voulais aussi savoir d'où provenait ce cheval et quelle était la couleur de sa robe. J'avais ma petite idée : il était possible que Ti-Khuan ait croisé sur son chemin Sunny Face et son complice, Lee Chang, et que ces derniers aient voulu s'emparer de Kiaokéli, ce qui pouvait expliquer la détresse de mon ami et tout le mystère entourant son histoire.

Lorsque j'arrivai au baraquement B-11, un homme m'informa que James Cole venait d'obtenir un nouveau poste en tant que menuisier et qu'il n'était pas revenu de sa journée de labeur. Il me proposa avec gentillesse de l'avertir que je souhaitais le rencontrer. Nos dortoirs étant proches, James pourrait sans doute passer me voir à un moment donné. J'acceptai sa proposition et le remerciai.

Un peu contrarié, je rentrai dans mes quartiers et pris une heure pour me rafraîchir, manger un morceau, brosser Wednesday et le nourrir. Puis, je m'installai sur la galerie extérieure du baraquement pour cirer mes bottes. Il avait fallu du temps pour que mes pieds s'y habituent! Leur pointure ne me convenait pas, mais elles étaient d'un cuir brun, doux et lisse comme le ventre d'un poulain, et magnifiques avec leurs bouts arrondis décorés d'un croissant de lune. Elles m'étaient presque aussi précieuses que Wednesday, et je les soignais avec amour.

— Luke MacAllan du baraquement A-08? entendis-je soudain derrière moi.

— Oui, balbutiai-je machinalement.

Je me retournai et vis un grand homme d'une cinquantaine d'années, quasiment chauve, qui me souriait.

— Salut! Moi, c'est James Cole. On m'a prévenu que tu me cherchais, bonhomme.

— Bonjour, lui répondis-je, intimidé.

— C'est la cabane des arpenteurs, ici? s'étonna-t-il. Tu parais jeune pour en être un?

— Je n'en suis pas un. Je suis arrivé ici avec mon père, mais il est mort dans un accident dans la montagne. Les arpenteurs m'autorisent à habiter ici. Je travaille avec mon cheval sur les chantiers en attendant de gagner assez d'argent pour repartir vers l'ouest.

— Quel âge as-tu?

— Onze ans.

— Écoute, bonhomme, je me mêle sans doute de ce qui ne me regarde pas, mais tu devrais songer à apprendre un vrai métier. Tu ne vas pas passer ta vie à faire de petits boulots avec ton cheval...

— Je n'y avais pas pensé...

— Ben, si tu veux mon avis, tu devrais t'en préoccuper, parce qu'un jour ce sera trop tard. Tu pourrais devenir menuisier, comme moi! C'est un beau métier, tu sais. Bref, pourquoi voulais-tu me voir?

James Cole était affectueux, et il m'avait un peu déboussolé avec son point de vue sur les métiers. Il ressemblait à l'image que je m'étais forgée d'un grand-père.

— Il paraît que vous connaissiez Sunny Face, l'homme dont le corps a été retrouvé dans la rivière, hier, lui expliquai-je.

— C'est exact. C'est horrible, ce qui lui est arrivé. C'était un brave gars, même s'il avait de gros problèmes et de mauvaises fréquentations. Il avait du mal à se tenir droit, quoi.

— On m'a raconté que vous l'aviez surpris avec un cheval volé ?

— On t'a dit beaucoup de choses, bonhomme ! s'esclaffa-t-il. Et ce qu'on t'a conté est vrai ! J'ai essayé de raisonner Sunny ; il avait volé ce cheval et il était sur les nerfs à cause d'une histoire que Lee Chang, une vraie crapule, tentait de lui mettre sur le dos. Tout de même, je n'imaginais pas Sunny capable de commettre un meurtre !

— De quelle couleur était le mustang ?

— Il était gris clair, avec une crinière blanche, répondit James, étonné. Une superbe bête! Tu ne serais pas à la recherche d'un cheval volé, toi, par hasard?

– Si, enfin non...

Soudain, je vis Bobcat et Comète arriver vers nous. Pressé, mon ami ne descendit pas de sa monture. Il avait des courses à faire à Laggan et en profitait pour me transmettre un message de Ti-Khuan : celui-ci m'attendrait pour une balade avec Kiaokéli et Wednesday dans une heure. J'en fus transporté de joie.

Bobcat repartit aussi vite qu'il était venu.

– Tu as de sacrées belles bottes, bonhomme, observa James, impressionné.

Pendant ma conversation avec Bobcat, James avait pris l'une de mes bottes entre ses grosses mains pour l'observer de plus près.

– Merci, c'est un cadeau.

– Je vais devoir te quitter aussi, car mes copains m'attendent. Y a-t-il d'autres choses que tu désirais savoir à propos de ce cheval?

J'essayai de réfléchir vite. Si le cheval volé par Sunny Face était gris, il ne s'agissait pas de la jument de Ti-Khuan, qui était de couleur chocolat.

— Savez-vous si Sunny Face a volé d'autres chevaux que ce mustang? demandai-je à James.

— Je l'ignore, bonhomme. Je n'étais pas son confesseur et je ne connais pas toutes ses fautes. N'empêche que c'est triste, ce qui lui est arrivé.

— Il s'est battu avec Lee Chang et l'a tué, avant de tomber lui-même dans la rivière, c'est ça?

— Sans doute, acquiesça James. Mais, ce matin, j'ai pensé à une autre possibilité et j'en ai parlé à la police. Sunny Face passait son temps à pêcher dans la rivière. Il est peut-être tombé dedans. Le courant est très fort, et personne ne sait nager ici. Moi non plus, d'ailleurs! Maintenant, il faut vraiment que je te quitte. Au revoir, Luke. Ç'a été un plaisir de te connaître. Pense à ce que je t'ai dit à propos de ton avenir. Si tu veux que je t'apprenne quelques trucs de menuiserie, tu sais où me trouver.

Je le remerciai. J'avais toujours adoré l'odeur du bois. Devenir menuisier me paraissait un projet fou, aussi fabuleux qu'ir-réalisable… Je dus sortir de ma rêverie pour achever le cirage de mes bottes. Le temps filait, et il fallait que je prépare Wednesday pour notre balade !

12

La balade

J'avais le cœur à la fête et très hâte de retrouver Ti-Khuan. Nos promenades en compagnie de nos chevaux avant le coucher du soleil étaient merveilleuses. Nous étions les maîtres de la vallée et ne faisions qu'un avec notre monture !

Ti-Khuan m'attendait au lieu habituel, près du pont de Laggan, avec Kiaokéli. Nous décidâmes de suivre le sentier forestier partant vers le sud. Nous savions qu'à une quinzaine de minutes se trouvait une magnifique prairie en pente offrant une vue spectaculaire sur les montagnes. Le ciel était encore clair, et le chemin, désert, comme à l'accoutumée. Wednesday et Kiaokéli allaient au pas. Nous entendions leur respiration régulière et rassurante. Même si Ti-Khuan était plus loquace que la veille, je le sentais d'humeur maussade. Je m'étais promis de ne lui poser aucune question, car je souhaitais simplement profiter de nos retrouvailles.

— Tu t'es acheté des bretelles ? me dit-il.

— Oui, et un nouveau maillot. Ce n'était pas du luxe ! m'esclaffai-je.

— Un homme m'a donné du tissu hier, ajouta Ti-Khuan. Je vais pouvoir me confectionner un pantalon et une tunique.

— Je ne sais pas comment tu arrives à fabriquer des habits, Ti-Khuan. Ça m'impressionne...

— C'est ma mère qui m'a appris.

— S'il fallait que je fasse mes vêtements moi-même, le résultat ne serait pas joli ! déclarai-je en grimaçant. En comparaison, mes vieilles bretelles vaudraient de l'or, et il faudrait que j'aille les récupérer tout de suite dans le bac à déchets où je les ai jetées !

Ti-Khuan sourit, et j'en fus heureux.

— Un jour, je t'apprendrai à coudre si tu veux, me proposa-t-il.

— Oh oui, ce serait super ! En parlant de m'apprendre des trucs, j'ai rencontré quelqu'un aujourd'hui qui accepterait de me donner des cours de menuiserie !

— Tu veux devenir menuisier ?

— Oui. Pourquoi pas ? Je crois que j'adorerais. Le bois sent tellement bon !

— C'est un beau métier.

— C'est ce que James Cole a dit, mot pour mot : *c'est un beau métier* !

— James Cole ? répéta Ti-Khuan en tirant sur la bride de sa jument pour l'arrêter.

— Oui.

— Tu connais James Cole ?

La stupeur se lisait sur son visage.

— Oui, enfin un peu, lui répondis-je, étonné. Je l'ai rencontré aujourd'hui. Il faut que je te raconte… Oliver, le gars qui travaille aux cuisines dans ton campement, m'a expliqué que James Cole connaissait Sunny Face, l'homme repêché dans la rivière. Il y a quelques jours, James a surpris Sunny dans la forêt avec un cheval volé. Je voulais rencontrer James, parce que je croyais que… Ne te fâche pas, Ti-Khuan, mais je croyais que Sunny Face et Lee Chang avaient voulu te voler ta jument et que c'était la raison pour laquelle tu avais eu très peur dans la forêt… Je voulais que James me précise si le cheval volé ressemblait au tien. Bref, quand il m'a appris que le mustang était gris avec une crinière blanche, j'ai su que mon idée ne tenait pas debout!

— Lui as-tu parlé de moi?

— Ben non, je ne crois pas…

— Luke, je ne peux rien te dire, mais tu dois me jurer une chose.

Immobile, Ti-Khuan me fixait de ses yeux noirs. Je ne l'avais jamais vu dans un état pareil.

— Te jurer quoi? m'impatientai-je.

— Ne t'approche plus jamais de ce type!

— Pourquoi?

Ti-Khuan poussa un profond soupir, comme s'il hésitait à me répondre. Je l'entendis murmurer *feichang hao*, son expression favorite signifiant « tout est parfait » en chinois, qu'il utilisait par ironie dans les moments les plus tragiques de son existence…

— Pourquoi me demandes-tu de ne plus m'approcher de James Cole? insistai-je, éberlué.

— Parce que c'est un assassin, avoua Ti-Khuan.

13

Les broussailles

Je n'en crus pas mes oreilles.

— C'est ton expédition dans la forêt qui t'a brouillé la tête, Ti-Khuan? lui lançai-je, en colère.

Il n'ajouta rien et fit avancer Kiaokéli au pas. À mon tour, j'ordonnai à Wednesday de se remettre en route.

— Crottin de citrouille! m'exclamai-je, exaspéré par le silence de mon ami. Qu'est-ce que tu sais à propos de James Cole pour te permettre de le traiter d'assassin?

— Je ne peux rien te dire, Luke.

— Oui, c'est pratique...

— Je ne peux pas te donner de détails, sinon toi aussi, tu seras en danger!

— Pourquoi *en danger*? m'étonnai-je. Es-tu en danger, toi?

Ti-Khuan demeura silencieux. Il paraissait bouleversé.

— Si je ne te raconte rien, c'est pour te protéger, déclara-t-il.

— Me protéger, murmurai-je. Je suis désolé, Ti-Khuan, mais je n'y comprends rien du tout !

— Cole est un meurtrier parce qu'il a…

Un bruit dans les broussailles, sur notre gauche, couvrit le son de la voix de Ti-Khuan, puis une ombre inquiétante surgit devant nous.

— Sale Chinois, je savais que je ne pouvais pas te faire confiance !

Sûr de lui, James Cole se tenait au milieu du sentier. Une carabine pendait à sa main droite. Son regard jetait des éclairs. Accablé, je découvris le vrai visage de celui qui m'était apparu quelques heures plus tôt comme un grand-père affectueux, bienveillant, heureux de me faire miroiter un bel avenir…

— Ton copain est un petit curieux et toi, tu réponds à ses questions ! cracha-t-il, la bouche déformée par la haine.

— Je ne lui ai rien avoué ! protesta Ti-Khuan.

Je détachai mes yeux de Cole pour regarder mon ami. Son visage exprimait la

terreur. Ses mains tremblaient, crispées sur
la bride de sa jument. Il était aussi essoufflé
que s'il venait de courir. Je sentis mes yeux
se gorger de larmes.

— Tu ne lui as rien avoué ? poursuivit
Cole.

— Je vous le jure ! cria Ti-Khuan.

— Tu n'as aucun droit de jurer, et tes pro-
messes ne valent rien.

— Luke ne sait rien !

— Et qu'est-ce que j'en sais, moi, hein ?
lâcha Cole avec dédain. Je vous file depuis
le début de votre balade. J'ai décidé d'atta-
cher mon cheval au bord du chemin et de
vous suivre à pied. Mais on n'entend pas
toujours bien quand on est dans les buissons ; j'ai sûrement manqué des bouts de
votre conversation.

— Ti-Khuan vous raconte la vérité !
m'écriai-je pour le défendre. Il n'a rien voulu
m'expliquer !

— Tu n'es qu'un menteur ; je t'avais
ordonné de la boucler, lança Cole en s'adressant toujours à Ti-Khuan et en m'ignorant.
J'ai pris trop de risques avec vous deux.
C'est de ta faute, sale Chinois ! Ton séjour

dans ma cabane ne t'a pas suffi, il semble.
Tu n'as pas eu ta leçon ?

— Le temps des leçons est fini, s'interposa Bobcat en bondissant tel un lynx sur le chemin.

James Cole n'eut pas le temps d'empoigner son arme. Bobcat l'avait déjà dans sa mire, et il tira le premier. Cole s'écroula, touché à la jambe droite. Il tenta de saisir sa carabine, mais Bobcat tira un deuxième coup, cette fois dans sa jambe gauche. Puis, il se précipita sur Cole et repoussa violemment du pied le fusil tombé par terre. Il plaqua le menuisier au sol et l'immobilisa. Du sang tachait son pantalon. Au même moment, Foster, un membre de la police montée de Laggan, apparut entre les buissons avec des cordes. Il courut vers Bobcat et l'aida à ligoter leur prisonnier.

— Saleté d'Indien ! vociféra Cole, furibond, en se débattant avec férocité.

Bobcat n'hésita pas et lui décocha un violent coup de poing au visage.

— Arghhhhh ! hurla Cole en se tordant de douleur.

Ils le bâillonnèrent avec un foulard, puis Foster retraversa les buissons denses bordant le sentier, en direction de la forêt.

Tétanisés, Ti-Khuan et moi avions assisté à la scène sans proférer un mot. J'avais senti la respiration de Wednesday s'accélérer lorsque Bobcat avait surgi des herbes devant nous, l'arme au poing.

— Vous allez bien, vous deux ? nous demanda-t-il en maintenant Cole face contre sol.

— Oui, murmurai-je.

Ti-Khuan hocha la tête. Encore sous le choc, nous descendîmes de nos montures. Crottin de citrouille ! Mon cœur battait la chamade. Mes jambes tremblaient comme si j'allais m'écrouler !

Foster revint des bois avec trois chevaux. Je reconnus Comète. Le policier me donna sa bride ainsi que celle de son cheval, dont j'ignorais le nom.

— Profites-en, Cole, c'est ta dernière balade ! le railla-t-il avec mépris.

Avec Bobcat, il souleva le corps de Cole, qui gémit de douleur, et le plaça en travers de sa monture. Après avoir donné un dernier tour de corde et vérifié la solidité de leur paquet, Bobcat et Foster s'assirent à côté du sentier. Ils semblaient exténués.

— Vous nous avez suivis ? leur dis-je, stupéfait.

— Quand je suis passé te voir tout à l'heure, Luke, et que j'ai vu James Cole te parler, j'ai eu un très mauvais pressentiment, commença Bobcat. La façon dont il écoutait notre conversation tout en faisant semblant de contempler tes bottes m'a mis mal à l'aise, d'autant plus qu'un de mes amis a déjà eu affaire à lui. Je savais qu'il fallait se méfier de lui. J'ai décidé de l'épier après qu'il t'a quitté. J'ai vu qu'il empruntait un cheval, et qu'il préparait sa carabine et des munitions. Pour un menuisier, ce n'était pas normal. Je suis allé prévenir Foster. Il m'a confié que la police le suspectait de raconter des mensonges à propos des hommes repêchés dans la rivière et qu'elle n'avait pas confiance en lui. On a donc décidé de le suivre. On s'est vite rendu compte qu'il vous avait pris pour cibles et que vous étiez en danger. Ce n'était pas facile d'être discrets avec les chevaux. On aurait aimé lui sauter dessus plus vite.

— Sans vous deux, je ne sais pas comment cette histoire se serait terminée, déclara Ti-Khuan avec un gros soupir de soulagement.

— Cole est vraiment un assassin, alors? demandai-je à mon ami chinois.

— Ti-Khuan va nous raconter ce qu'il sait, mais sur le chemin du retour, intervint Foster en se levant. Dans une demi-heure, il fera nuit noire. On doit partir d'ici avant que l'obscurité nous piège. Tout le monde en selle. Direction: la prison. Nous avons un colis à livrer!

14

L'histoire

Le bleu profond du ciel ressemblait à du velours, et la crête des montagnes se devinait encore. Les premières baraques de Laggan n'étaient plus très loin. Cole, ficelé sur sa monture, Foster, Bobcat, Ti-Khuan et moi formions un curieux cortège sur ce sentier forestier dont les contours s'effaçaient dans la nuit.

— Tu dois nous raconter ton histoire, Ti-Khuan, dit enfin Foster. De toute évidence, Cole est un menteur, et nous avons besoin de tes lumières pour saisir ce qui s'est passé au cours des derniers jour. Nous avions déjà des doutes à son sujet. L'empressement avec lequel il est venu expliquer à la police sa version des faits concernant la mort des deux hommes trouvés dans la rivière avait de quoi nous intriguer. À l'entendre, ce qui s'est passé est clair comme de l'eau de roche :

Sunny Face et Lee Chang, deux voleurs, ont réglé leurs comptes au bord de la rivière. Par ailleurs, ce que ni mon collègue Truman ni moi n'aimons de ce gars-là *(et là, Foster donna un coup de cravache à Cole, qui se mit à geindre)*, c'est sa façon de toujours faire la morale aux autres et de leur expliquer comment agir !

Foster semblait exaspéré, comme s'il avait subi, lui aussi, les leçons inopportunes du menuisier. Il s'adressa à Ti-Khuan.

— Vas-y, mon garçon. Nous t'écoutons.

— Je vais commencer par le début, répondit-il, intimidé. Dimanche, la chaleur était insupportable, et la rivière près de Laggan était infestée de moustiques. En fin d'après-midi, je suis allé me baigner à environ trois kilomètres du campement, dans un coin où les rochers forment une piscine naturelle et une petite plage. Les insectes y sont moins nombreux. J'avais emmené Kiaokéli. Après m'être baigné, j'ai lavé mes vêtements. Je les ai séchés au soleil, puis j'ai tout rangé. C'est au moment de partir que j'ai surpris une conversation entre trois hommes : Sunny Face, Lee Chang et James Cole. Ils étaient avec des chevaux, dans une clairière, non loin de la rive. Ils ne m'ont pas vu. Mais le vent a porté leurs paroles jusqu'à mes oreilles.

Ti-Khuan s'interrompit.

— Que disaient-ils ? l'interrogea Foster.

— James Cole parlait contre les Chinois… Il affirmait qu'ils volent le travail des Blancs, qu'ils sont faibles et arriérés, qu'ils transportent des maladies et qu'ils passent leur temps à fumer de l'opium !

— J'aurais dû frapper plus fort, murmura Bobcat en contenant sa colère.

— Il racontait que les Chinois font peur avec leur peau jaune et leurs yeux bridés, poursuivit Ti-Khuan, la voix chancelante. Qu'ils ne savent pas parler correctement et que leur nourriture sent la crotte.

Pauvre Ti-Khuan ! J'avais honte qu'un Blanc ait pu proférer des horreurs pareilles et que mon ami les ait entendues !

— Ce Cole est bête, Ti-Khuan, soupira Foster. Et c'est un ignorant. Il ne faut pas être blessé par les propos des imbéciles qui pensent que les Blancs sont supérieurs aux autres. Qu'il soit Blanc, Noir, Jaune ou Rouge, un homme reste un homme et doit être respecté. Ce menuisier qui hait les Chinois et qui prétend qu'ils sont des voleurs de travail n'est pas conscient que, sans les ouvriers chinois, il n'y aurait même pas de voie ferrée dans la région... Continue ton histoire, mon garçon. Que racontaient ces hommes encore?

— Cole accusait Lee Chang, qui venait d'obtenir un travail à la scierie, de lui avoir volé son ouvrage. Ils se sont battus. Sunny Face a voulu prendre la défense de son ami Lee, mais Cole l'a cogné. Puis, il est parti en le menaçant. *Je vais te tuer, Chang, je vais te tuer...* C'est ce qu'il n'arrêtait pas de répéter!

— Sunny Face et Lee Chang n'étaient pas de vrais voleurs, alors? lui demandai-je.

— Non, me répondit Ti-Khuan. Ils avaient l'air de braves gars.

— Cole a donc inventé cette affaire de cheval volé, comprit Foster, dépité. Truman et moi nous doutions bien qu'il débitait des mensonges à propos de Sunny Face. Il est même allé répéter à qui voulait l'entendre que Sunny avait volé un baril de bœuf salé, un cheval et des outils, et qu'on avait retrouvé un bijou dans sa boîte à casse-croûte. Cet homme est maléfique.

Foster redonna un coup de cravache à Cole, qui gémit de nouveau. Ti-Khuan ne put s'empêcher de sourire.

— Qu'est-ce qui s'est passé ensuite? s'enquit Bobcat.

— Je suis rentré au campement, poursuivit Ti-Khuan. Le lendemain matin, j'étais en train de préparer l'équipement pour ma prochaine expédition lorsque j'ai entendu la nouvelle: le corps de Lee Chang venait d'être retrouvé dans la rivière. Je me suis souvenu des menaces de Cole: *Je vais te tuer, Chang, je vais te tuer…* Et puis, quelques heures après, j'ai appris que Chang ne s'était pas noyé, mais qu'il avait été étranglé. C'est à ce moment-là que j'ai commis une bêtise.

Ti-Khuan se tut. Foster, Bobcat et moi le regardâmes sans comprendre.

— Quelle bêtise, mon garçon? s'étonna Foster.

— J'ai pris ma jument et je suis retourné à l'endroit où j'avais entendu leur conversation la veille.

– Ça alors ! chuchotai-je, suspendu aux lèvres de mon ami.

– Je souhaitais voir si Sunny Face et James Cole étaient encore là. C'était peut-être leur lieu de rencontre habituel. Je savais que je pouvais surprendre leur conversation si je ne faisais pas de bruit. Je voulais savoir s'ils étaient impliqués dans l'assassinat de Chang. Je sais que ce n'était pas prudent et que je n'aurais jamais dû agir ainsi... Bref, je me suis approché des lieux discrètement. J'ai cru qu'il n'y avait personne. J'ai laissé Kiaokéli brouter l'herbe dans la petite clairière, puis j'ai longé un peu la rivière. Et c'est là que je l'ai vu.

– James Cole ? lança Foster.

– Oui, acquiesça Ti-Khuan.

Notre cortège avançait à présent entre les baraques de Laggan.

– Il était assis près d'un arbre, continua mon ami. J'ai voulu m'avancer un peu plus pour vérifier s'il était tout seul, mais mon mocassin s'est coincé entre deux roches et je suis tombé. C'était horrible ! Cole m'a vu et il m'a attrapé. Il m'a ensuite ligoté, il m'a enroulé dans une couverture et il m'a emporté sur un cheval jusqu'à une vieille cabane sur les rives du lac Louise.

– Crottin de citrouille ! m'exclamai-je, ébahi.

Ti-Khuan s'interrompit. Il me regarda d'un air timide. Puis, il baissa les yeux.

– Je suis désolé de t'avoir menti, Luke, déclara-t-il. Mais, dans la cabane, Cole m'a menacé. J'ai bien compris que c'était lui qui avait tué Lee Chang, que, si je parlais, il me tuerait, moi et les personnes à qui je parlerais. S'il ne m'a pas tué, c'est parce qu'il savait que je connaissais le juge Morgan et qu'il avait peur qu'on découvre son crime.

– Ne t'inquiète pas, Ti-Khuan, le rassurai-je en caressant la crinière de Wednesday. J'aurais agi de la même façon que toi. Je comprends tout maintenant… et la raison pour laquelle j'ai trouvé Kiaokéli seule, près du chantier.

La cabane en bois rond du poste de la police «montée» de Laggan était en vue.

– Cole t'a libéré ensuite ? devina Bobcat en s'adressant à Ti-Khuan.

– Oui. J'ai passé la nuit dans la cabane et, le lendemain, Cole est venu. Il m'a ordonné de ne pas ouvrir la bouche, sinon il me tuerait. Et il m'a libéré. J'ai marché jusqu'au campement. Quand on a découvert le corps de Sunny Face dans la rivière le jour suivant, j'ai su que c'était encore lui qui avait fait le coup. Sunny Face avait dû l'accuser d'avoir tué Chang… J'ai compris qu'il ne fallait pas prendre les menaces de Cole à la légère. Ça m'a terrorisé.

— Il finira bien par avouer ses crimes, conclut Foster en fouettant une dernière fois Cole, qui semblait s'être assoupi. Je ne suis pas juge, mais je ne crois pas me tromper en affirmant qu'on préparera bientôt la corde et la potence ! Je vous propose d'entrer dans le poste avec moi, mes amis. Il va falloir raconter cette histoire à mon collègue Truman. Nous allons enfermer Cole dans une cellule et appeler le médecin pour qu'il soigne ses blessures. Je nous préparerai du bon café. Nous l'avons mérité !

15

Une merveille

— Puisque je te dis que je ne me suis jamais perdu dans la forêt! protesta Ti-Khuan alors que nous pénétrions dans le magasin général.

— Peut-être, mais je veux que tu voies cette merveille, lui répondis-je.

Le lendemain de l'arrestation de James Cole, en fin d'après-midi, j'avais rejoint Ti-Khuan au campement chinois, souhaitant fêter avec lui la fin de notre incroyable aventure. Nous avions mangé du bœuf grillé et des légumes. Puis, j'avais insisté pour qu'il m'accompagne au magasin général de Laggan.

— Je n'en reviens pas encore, soupirai-je en suivant les allées de la boutique remplies de marchandises. Ton histoire de couche faite de branchages et d'ours... Tu l'as imaginée pour qu'on te laisse tranquille et qu'on arrête de te poser des questions !

– Pour que *tu* arrêtes de me poser des questions, Luke, s'esclaffa Ti-Khuan. On ne peut pas dire que j'aie réussi ; tu ne m'as jamais autant harcelé qu'au cours des derniers jours. Tu devrais devenir policier plus tard, pas menuisier.

– Je ne veux plus être menuisier ! affirmai-je avec véhémence. Tiens, regarde. C'est elle…

Nous étions parvenus au fond du magasin. Entre les manteaux de fourrure, les maillots et les bottes, les outils suspendus, les cannes à pêche, les pains frais et les biscuits au gruau, les boîtes de cartouches, les sacs de toile remplis de victuailles et les récipients en verre montrant farines, thés et épices se trouvait une vitrine fermée à clef. C'est là que le marchand, monsieur Kinder, entreposait les objets précieux. Celui que je souhaitais montrer à mon ami était une boussole victorienne.

Le petit boîtier en argent dont le couvercle brillait était ouvert. On pouvait admirer des lettres et des chiffres d'une élégance extrême, ainsi que de fines aiguilles qui semblaient vibrer dans le vide.

– C'est vrai qu'elle est belle, souffla Ti-Khuan, impressionné.

– Avec ça dans la poche, impossible de se perdre dans la forêt ! assurai-je, fier comme si elle m'appartenait.

– Tu as l'intention de te l'acheter ?

– Jamais de la vie, j'ai mieux à faire avec mon argent… Mais ça ne m'empêche pas de rêver ! Je vais demander combien elle coûte.

Je m'approchai du comptoir principal et m'adressai à monsieur Kinder, qui s'y était installé pour couper des tranches de jambon fumé.

– Bonjour. Est-ce que je pourrais connaître le prix de la boussole dans la vitrine, s'il vous plaît ?

– La boussole… bougonna-t-il. Je ne crois pas que tu aies les moyens de te la payer, mon garçon. Charlotte, apporte-moi le registre où sont inscrits les prix des objets sous la vitrine, veux-tu ?

– Oui, mon oncle, répondit une voix fluette.

C'est alors que je la vis.

Elle devait avoir mon âge. Grande et mince, elle se déplaçait sans faire de bruit, aussi légère et lumineuse qu'une luciole survolant les herbes. Ses cheveux étaient plus bouclés que les miens, et roux comme le bois d'acajou. D'un geste gracieux, elle déposa le registre sur le comptoir.

Ses yeux noirs se fixèrent sur moi, et un drôle de sourire — mélange de timidité et d'audace — s'accrocha à sa bouche.

J'avais la sensation que tout le monde pouvait entendre mon cœur tant il cognait fort dans ma poitrine. Ma peau était devenue glacée. La sueur perlait sur mon front et le sang bouillonnait dans mes veines. Crottin de citrouille, j'étais mou comme une nouille, et pourtant je sentais qu'un éclair traversait mon corps !

Une voix qui me parut venir de l'au-delà murmura à mon oreille :

— C'est vrai qu'elle est belle...

Ti-Khuan ne parlait plus de la boussole victorienne.

Table des matières

Note de l'auteure

Ce roman est une fiction. Toute ressemblance avec des personnages réels ou ayant existé est une pure coïncidence. Même si certains lieux sont inspirés du vrai Laggan, qui est aujourd'hui le village de Lake Louise, et si la rivière Bow et le col du Cheval-qui-Rue existent bel et bien, leur description est parfois romancée.

La compagnie Canadian Pacific Railway a été fondée en 1881 pour prendre en charge la construction de la voie ferrée devant relier les régions plus habitées de l'est du Canada aux grandes étendues de l'Ouest. À la fin de 1883, le chemin de fer avait atteint les montagnes Rocheuses canadiennes, à seulement huit kilomètres à l'est du col Kicking-Horse (le Cheval-qui-Rue). Les saisons de construction de 1884 et 1885 se passèrent dans les montagnes de la Colombie-Britannique et sur la rive nord du lac Supérieur.

La main-d'œuvre chinoise a joué un rôle déterminant dans la construction de la voie ferrée du premier train transcontinental canadien, un ouvrage colossal achevé en novembre 1885.

Les origines de la population chinoise au Canada remontent à la ruée vers l'or. Les premiers Chinois sont arrivés à Victoria en 1858. Dès le début des années 1860, la côte ouest canadienne comptait de six à sept mille Chinois. Peu de temps après, on les invita en grand nombre à venir participer à la construction du Canadian Pacific Railway, donnant lieu à une nouvelle vague d'immigration − on compta alors jusqu'à dix-sept mille ouvriers chinois. Ces ouvriers chargés des travaux les plus dangereux étaient sous-payés. Ils vivaient dans des conditions souvent misérables et subissaient racisme et harcèlement. En échange de leur travail, le gouvernement du Canada leur promettait le rapatriement dans leur pays, promesse qui ne fut jamais tenue… À la fin de la construction de la voie ferrée, n'ayant pas les moyens de retourner chez eux, de nombreux ouvriers chinois s'établirent sur les terrains appartenant à la compagnie de chemin de fer, à Vancouver. C'est dans ces circonstances qu'émergea l'un des premiers quartiers chinois en Amérique du Nord.

L'auteure

Anne Bernard-Lenoir est née en France, mais elle vit au Québec depuis 1989. Cette diplômée en géographie obtient en 1991 une maîtrise en urbanisme de l'Université de Montréal. Elle se passionne pour les voyages, et ses créations s'inspirent de ses parcours géographiques, de la nature, de l'histoire, des sciences, du mystère et de l'aventure.

PACIFIC EXPRESS

LA TABATIÈRE EN OR

Pacific express tome 3
La tabatière en or

Août 1884, les Rocheuses canadiennes. En compagnie de son ami Ti-Khuan et de la belle Charlotte Kinder, Luke MacAllan découvre le contenu de la pochette en cuir que lui a léguée son père. Au milieu des souvenirs de famille, Luke aperçoit un objet qui ressemble fort à la description de la tabatière en or volée au magasin général six mois auparavant et recherchée par tous…

4 enquêtes palpitantes
à dévorer !

Volume 1
Les chevaux enchantés, La veuve noire,
Secrets d'Afrique, Le ventre du serpent

Volume 2
Mystères de Chine, Pas d'orchidées pour
Miss Andréa!, La malédiction des opales,
La disparition de Baffuto, Un violon bien gardé

Si vous avez aimé ce livre, vous aimerez aussi les aventures

d'Andréa-Maria & d'Arthur

Andréa-Maria et Arthur :
deux amis passionnés par les énigmes.
Aidés du chien Sherlock, ils mènent
des enquêtes captivantes, et leurs aventures
sont palpitantes. Elle est impulsive,
il est réfléchi : un duo de choc qui vient
à bout des mystères les plus étranges.

Les éditions de la courte échelle inc.
160, rue Saint-Viateur Est, bureau 404
Montréal (Québec) H2T 1A8
www.courteechelle.com

Révision : Leïla Turki

Dépôt légal, 2ᵉ trimestre 2011
Bibliothèque nationale du Québec

La courte échelle reconnaît l'aide financière du gouvernement du Canada par l'entremise du Fonds du livre du Canada pour ses activités d'édition. La courte échelle est aussi inscrite au programme de subvention globale du Conseil des Arts du Canada et reçoit l'appui du gouvernement du Québec par l'intermédiaire de la SODEC.

La courte échelle bénéficie également du Programme de crédit d'impôt pour l'édition de livres – Gestion SODEC – du gouvernement du Québec.

Catalogage avant publication de Bibliothèque et Archives nationales du Québec et Bibliothèque et Archives Canada

Bernard-Lenoir, Anne
Pacific Express
Sommaire : t. 2. La disparition de Ti-Khuan.
Pour enfants de 8 ans et plus.
ISBN 978-2-89651-442-7 (v. 2)

I. Titre. II. Titre : La disparition de Ti-Khuan.

PS8603.E72P32 2011   jC843'.6   C2010-942520-0
PS9603.E72P32 2011

Imprimé au Canada